untitled.

untitled.

발　행 | 2024년 05월 07일

저　자 | 이재승

펴낸이 | 한건희

펴낸곳 | 주식회사 부크크

출판사등록 | 2014.07.15.(제2014-16호)

주　소 | 서울특별시 금천구 가산디지털1로 119 SK트윈타워 A
동 305호

전　화 | 1670-8316

이메일 | info@bookk.co.kr

ISBN | 979-11-410-8377-9

untitled.

이재승 지음

누군가는 비판할지도 모른다.
누군가는 마주하기 어려울지도 모른다.
누군가는 새로움을
겪으려 하지 않을지도 모른다.

하지만, 아무렴 어떤가.

나는 오늘의 나를 노래했고,
어제의 나도, 그리고 내일의 나도,
이걸 읽는 당신마저도,
각자의 노래를 부르고 있다, 하염없이.

당신이 이걸 읽지 않아도 좋다.
당신이 나를 미워하게 될지라도 좋다.
당신이 뭐라 생각해도 좋다.

나는 나의 마지막을 이렇게 글로 남기고
새롭게 찾아올 나에게
나머지를 부탁하는 것이니

그러니 나의 노래를,
제목 없는 나의 노래를
어떻게 하든 좋으니,
바꾸지만 마오, 없애지만 마오.

< >

첫 장,

애증

그대는 내게 손을 내밀어주었고
저는 그 손을 거절했지만
그대는 다시 내밀어 제 손을 잡았었죠.
그 연결, 그 온기의 교환은
저의 겨울을 녹여갔고
마침내 저에게도 봄이 도래했죠.

하지만 제게 온기를 주어
그대에게 겨울이 찾아온다면
저는 봄을 누릴 자격이 없는 거겠죠.

그러니, 그대 위해 떠납니다.
그대 봄을 누릴 자격 있기에,
저 겨울 속에 남아야만 하기에.

하지만 제 마지막 소원 하나만 들어줘요,
꽃이 피어난 그곳에
그저 그렇게만 남아있어주세요.
떠나버린 난,
지쳐버린 난,
그저 그렇게만 사라져 갈 테니.
.
.

발신, 그리고 이내 수신.

창문 밖으로
비치는 달빛인지
아니면 저 밖에서
울어대는 귀뚜라미 소리인지

그것이 무엇이든지
그게 내 잠을 방해하는 거야

결코,
하염없이 떠오르는
너 때문이 아니야

아닐 거야

저무는 태양
그 앞의 나는
한없이 초라해져

마치 그대가 날 바라보는 시선도
그대가 날 떠올리는 마음도
저 햇빛처럼 저물어

떠오르는 달,
하지만 구름에 가려져
기껏 내보인 나의 마음도
저 달빛에 가려져

아아, 저 달빛은
사라지는 나와 같이,
같이 사라져

이 들판에 내가 있고,
저 길 위에는 그대가 있고,
저 언덕 너머에는 우리의 집이 있는데.

닿을 듯, 닿지 않고
손에 잡힐 듯, 잡히지 않는
저 모습은 내게만
아지랑이, 아지랑이에 불과하단 말인가

억울하다
나의 탓인가, 너의 탓인가, 우리의 탓인가.
따질 새도 없다.

누구의 잘못인지도 알 수 없다.
그저
이 상황에서 벗어나
그 언덕으로 달려가고플 뿐.

그뿐이다.

그저
너에게 말을 걸고
너는 그에 환하게 웃으며
편하게 서로의 일상을
공유하고픈 것뿐이야

그저
햇살 비추는 여름,
그 아래 시원한 그늘에서
서로에게 기대어
잠시 쉬고 싶을 뿐이야

그저
떨어지는 낙엽과
흩날리는 눈꽃, 그 속에서
지나간 과거를 미련 없이,
다가올 미래를 너와 함께,
보내고 싶을 뿐이야

그저
그럴 뿐이야

아아, 이것은
애타게 부르는 사랑의 노래
하지만 절대 닿을 수 없는 외침

마음은 확고하다,
저 벽을 넘고자 하는.
저 벽을 넘어서 닿고자 하는,
그 마음만은 확고하다.

다만 가능성은 희박하다.
나의 마음은 확고하다 하지만,
그 반대의 마음은 마치
슈뢰딩거의 고양이처럼
존재할 수도, 그렇지 않을 수도 있다.
그 마음은 불확실하다.

아아, 그것은
닿고자 하는 간절한 나의 소리
하지만 절대 확실해지지 않을
그대의 소리

초라해
무언가를 끊임없이 원하는,
책임을 지고 싶지 않아하는,
남에게 짐만 되어 힘들게 하는,
나의 모습이

착잡해
너를 생각하는 나의 그 감정이,
그리고 그 감정 속에서 꼬이는 나의 생각이,
결국 뱉지 못하는 그 말이,
그 모든 나의 후회스런 모습이

그저 어지러워

소란한 저 햇빛
그 아래서 노래하고

조용한 저 달빛
그 밑에서 외치는데

저 너머 그대에겐
닿지 않아

내 소리,
누가 들어주오

그대 부디,
내 손 잡아주오

이 내 무릎 꿇고,
애걸복걸 빌어보오

낙엽은 떨어지며
붉은색, 노란색, 주황색
아름다운 옷을 입고
왼쪽으로 살랑, 오른쪽으로 살랑

바라보는 사람을
사로잡는
구애의 춤.

이 낙엽에
나의 편지를 써내어
그대에게 보낼게요.

이걸 받는 그대를
늘 바라보겠다, 약속하는
그대를 사랑하는
구애의 편지.

문득 생각이 들었다.
나에게로 불어오는 바람은
어떤 기억을 지니고 있을까,

누군가의 사랑, 누군가의 슬픔.
누군가의 이별, 누군가의 기쁨.

그 모든 기억을 지닌 채
내게로 오는 것은 아닐까,

기억을 말하고 싶은데
그럴 수 없는 건 아닐까,

바람의 그런 마음이
내 볼을 건드리는 낙엽에,
그 낙엽에 실려 내게로

이제 그 낙엽에 내 기억을 담아
너에게로, 그대에게로, 당신에게로,

저 멀리의 누군가에게로.

살랑살랑
바람이 불어오는 가로수길

가로등 불빛만이
거리를 비추는 골목

불 꺼진 단칸방
방 한 구석의 침대

이질적인 고요함이
가득 채워진 빈 교실

밝고 어두운, 뜨겁고 차가운,
몸 깊은 곳의 나의 내면

모든 것이 평범하고
그저 흘러가는 일상

다른 것은 그저,
어느 순간 내게 다가온
너 하나.

잊지 못했다,
첫 만남의 그 순간을.
고요한 나의 호수에
너라는 나무가 잎을 떨어뜨려
작은 파장, 파장, 파장을 일으켰던 그 순간을.

잊지 못했다,
첫 고백의 그 순간을.
벚꽃이 나의 코에 닿았을 때
간질간질한, 그 향기가.
잎에서 피어난 새싹이,
끝내 꽃을 피워낸 그 순간을.

잊지 못했다,
첫 이별의 그 순간을.
피어난 꽃이 지고, 그 향기가 지고,
새싹이 지고, 잎이 져버린 그 순간을.

잊지 못한다,
첫 사랑의 그 순간을.
파장이 멈추지 않는 한
멈추지 않을, 잊히지 않을 그 순간을.

뿌옇게 변한 유리창
그 틈 사이를 비집고
들어오는 저 햇살이
차가운 아침을 녹인다.

아침은 쌀쌀하다.

두꺼운 외투, 웅크린 몸.
그러나 사람 간의 정은
그 벽 틈 사이를 비집고
이내 차가운 마음을 녹인다.

겨울이 찾아왔다.
눈은 내리지 않았다.
다만 그 차가운 기운이
온 세상을 채워
하얗게, 더욱 하얗게

그럼에도, 우린 얼지 않았다.

미련은 남지 않는다.
하지만 가슴 한 켠이 아려오는 건
어째서일까.

해봤자 돌아오는 건 침묵.
대답은 오지 않고,

해봤자 돌아오는 건 슬픔.
하염없이 기다려도 없고,

해봤자 돌아오는 건 분노.
의미 없이 멍하니,
시간을 보내는 나에게

해봤자 돌아오는 것은 무정(無情).
자괴감과 허탈감에
하얗게 불탄 나에게

그래, 그저 그렇게
나의 기대는 그저 그렇게
허무하게.

차가워오는 손끝.
그 끝에 닿은 건
너의 볼이었을까, 아님
너의 가슴이었을까.

손이 적당히 차가워져
내 손을 붉게 물들일 때쯤
나의 손을 감싸주던
너의 손.

그 겨울은 춥지 않았다.

바람에 날아갔던 그때의 기억은,
날려 보냈던 그 바람에 의해 돌아왔다.
노을 진 하늘, 한적한 산책로,
차갑지도, 뜨겁지도, 그저 선선하기만 했던,
그 바람.
그곳에서 남자는 걷고 있었다.
여자는 우울해보였다.
성적의 문제인지, 교우관계의 문제인지,
여자는 도통 말할 줄을 몰랐다.
남자는 위로하고 싶었다, 그렇지만.
남자가 당장에 떠올린 방법은 없었다.
그때, 여자는 남자를 바라보았다.
그 작은 몸이 남자의 품속에 파묻힌다.
위를 바라보고선, 여자는 말한다.

'ㅅ-..'

가로등불이 켜졌다. 주변은 어두워졌고.
달빛처럼 화려한 조명은 아니었다. 그렇지만,
그 밝은 조명은 그들만을 밝히고 있었다.

선선한 바람, 가로등 조명, 이미 져버린 태양.
그리고 그 아래 주연 둘.

청소를 하다
톡, 하고 나온
너의 흔적에

나에게 하나뿐인,
너에게도 하나뿐인,
그때의 흔적에

책임에 눌려
펜을 눌러 썼던
나의 슬픔의 흔적에

눈시울이 붉어져
흐느꼈던.

이내 다시 일어나
정리했던.

창문 밖으로
은은히 햇빛 비추던
어느 휴일의 오후.

인연을 맺었다.

관계를 맺었다.

이내,

결론 역시 맺어졌다.

그대 마음과 나의 마음
상관계수 0

연관성이라고는 전혀 찾아볼 수 없는,
그저 옹기종기 모인 산점도.

분명 거리는 가까운데,
좌표평면 그 위 거리는 가까운데,

어찌 유사성만은 좁혀지지 못하고
그저 멀어져만 가는지.

가까워지고 싶다.
거리 말고도,
너라는 개체와 나라는 개체의
유사성마저도.

쌉싸름했다.
저번 밤의 가로등과는 다른 맛이었다.
이내, 곧 짭조름한 맛이
느껴지기 시작했다.
남자는 당황하여 여자를 쳐다보았고,
그 시선 끝엔 흐느끼는 여자가 있었다.
쌓아왔던 짐들은 여자는 털어놓기 시작했다.
그러나 그 짐들은 너무나도 무거워,
남자가 들기에도 역부족이었다.
'하나도 무거운데, 어떻게 이렇게...'
남자는 생각했고,
그 짐의 끝에, 여자의 충격적인 한 마디만.

'미안해.'

떠오르는 말이 이것 밖에 없음이,
짐을 같이 들어주지 못함이,
가로등 아래 여자를 내버려둠이,
남자에겐 크나큰 후회로 남았다.
잊었던 기억들도 바람을 타고,
잊었던 감정들도 바람을 타고, 왔다.

그는 주저앉았다.
아무래도 그에게 남은 건 눈물뿐인 듯 했다.

내가 너를 생각하는 것처럼
너도 나를 생각하길

내가 너를 바라보는 것처럼
너도 나를 바라보길

내가 떠날 때
너에게만은 내가
그런저런 사람이
아니었기를.

뜨거운 감정에 휩싸여
휘청거리던 소년은
이내 차가운 현실 위로 넘어진다.

톡, 현실을 딛고 일어서
톡, 한 발짝, 한 발짝, 위를 향해 오르며

하늘과 맞닿은 곳에서
찬란하게 빛나는 저 불빛들을 바라보며

톡.

사랑이 더 이상 느껴지지 않아
사랑했던 내 뒤에 남겨진 건
얼룩진 내 과거의
추악한 검은 눈물뿐.
밝은 추억의 이면 따위는
눈물과 함께,
적셔져. 사라져.

새로운 사랑을 시작하기엔
나의 땅은 너무나 척박해.
심고자 하는 씨앗도,
살 돈도, 마음도 없는걸.

사랑을 하고 싶지도 않아.
앞날에 안개만이, 스모그만이 가득할
그 길을 굳이 왜 나아가야 하는 걸까,
그렇게 손을 놓아버리니
마음이 불편하지만, 오히려 편해지더라.

그러니, 난 말한다.
내 앞에 사랑은 더 이상 없다,
라고.

어느 날 우연히,
바람처럼 홀연히,
내 앞에 떨어진 너는
봄을 주겠노라 약속했다

너는 봄향기를 가져왔고,
봄의 꽃잎을 불어왔으며,
곧 일어날 일들을 이야기하며,
달디 단 유혹을 해왔지

하지만 나는 안다,
나의 봄이 어떠해왔는지.
쓰디 쓴, 상처 많은.
그렇지만 그 속에서 자라나는,
나의 봄.

그대가 말하는 봄은
나의 봄이 아니오
나를 이끌어 봄에 도달하려 해도
나의 봄이 아닌걸

나의 행복은 그곳에 없어.

작년 겨울이 생각나는 밤이었다.

그녀와 헤어지고선,
가로등 아래 주저앉았다.

혼자가 되는 건 무거운 일이었다.
나누어 들었던 짐이 내 앞에 놓이었다.

같이 들어주는 것은 그녀의 기쁨이었다.
그녀의 것을 들어주는 것도 내 기쁨이었다.

그 기쁨을 잃은 것은 그녀의 슬픔일까
그 기쁨을 잃은 것은 나의 슬픔인데.

그러던 내게 그녀는 다시 와줬고,
그러던 나는 다시는 그렇지 않으리, 말했다.

몇 달이 지났고
시간은 반복되었고

나는 여기,
다시 주저앉아있다.

또다시 생각날 겨울의 밤이었다.

그것은 끊어지지 않은 사슬
나를 옭매었지만,
너를 지지해준,
그들을 결속시켜준,
그저 절대적이었던
그런 사슬.

그것은 끊어지지 않는 사슬
나를 옭매이지만,
너를 지지해주는,
그들을 결속시켜주는,
아마 절대적인
그런 사슬.

그것은 끊어지지 않을 사슬
나를 옭매일 것이지만,
너를 지지해줄,
그들을 결속시켜줄,
허나 절대적이진 않을
그런 사슬.

가로등 아래.
그는 머뭇거리는 발걸음을 내딛어,
그가 바라왔던 그곳을 향해 달려갔다.
기대에 가득 찬 걸음걸음.

하지만 그곳에는 기다리던 여자가 서있었다.
또 다른 자신과 손을 맞잡던, 입을 맞추려던.
한때 제 것이었던, 여전히 그러리라 믿었던.
하지만 이젠 더 이상 그렇지 않던.
그녀가 서있었다.

고조되는 감정, 그리고 이내 휘몰아치는 정서
분노에 가득 찬 그는 소리쳤다, 그렇지만
그들, 그 둘은 대답이 없고.
무시는 촉매가 되어
분노를 슬픔으로 바꾸고.
그 슬픔은 좌절이, 그 좌절은 두려움이 되어.
그를 짓누르는 감정에, 그는 무릎 꿇는다.

도망치고 싶지만, 그렇게 하지 않는다.
아니, 할 수 없었다.

그녀와의 추억만이 남아있던 그곳에
그녀에 의한 절망만이 남았다.

모든 것이 헛된 세상이지만,
살아가고 살아가도
내일이면 사라질 세상이지만,
너에게 한 마디만은 하고 싶었어.

매일의 나를 잃는 나에게
니는 나의 유일한 이정표였다.
수많은 페이지 속에서 나를 잃어버린 나에게
너는 나의 유일한 책갈피였다.
그곳에 굳건히, 온전히 있어주어서
얼마나 다행이었는지 몰라.

그런 네가 갑자기 사라졌고,
그 길을 갑자기 잃어버린 나는
이제 이 길을 어떻게 나아가야 할까.

이 헛된 세상 속의 나는,
어떻게 내일의 나를 찾아야 할까

두려워.
그러니 부디,

나를 비난해도 좋다
나는 너를 비난하고
너는 나를 비난한다

비난을 받은 너는
오히려 새로운 빛을
피워낼지도 모르지만
비난을 받은 나는
그 빛을 맛보지 못한 채
한 줌의 재로만 기억될 것이다

재가 되어 빛을 낼 수만 있다면,
그 재가 양분이 되어
꽃을 피워낼 수만 있다면,

나의 몸은 기꺼이 비난받을 것이다
나의 몸은 기꺼이 불탈 것이다

나는, 이 육신은 이내

밤은 그저 흘러만 가
천천히 가고픈 내 맘도 모른 채
흘러가는 음악과,
넘어가는 책과,
새벽의 시계는 그렇게 흘러만 가

창문으로는 아련한 달빛이,
천장에서는 쨍한 조명 빛이,
귀에 꽂은 이어폰에서는
Lo-fi 음악만이,
나의 눈을, 귀를 간지럽혀

이 새벽에
방금 너와 했던 문자가 떠오르는 건
음악의 소리가 감미롭기 때문일까,
나를 둘러싼 빛이 너무 아름답기 때문일까,
아님 그저
몸을 지배한 이 기분 나쁜 피로감이
오늘은 왜인지 기분 좋게 느껴져
좋은 추억들을 떠올리게 하기 때문일까.

밤은 오늘도 잠에 든다.
나만을 어지럽게 깨워둔 채

그대 덕에 이곳에는 봄이 도래했고
그대 있기에 이곳에 꽃이 피어나요
그대 오기 전까지 꽃은 피어나지,
않았기에
봄은 봄이 아니었죠.
하지만 그대는 제게 씨를 뿌려주었고,
그 씨는 아름다운 꽃이 되어
결실을 맺었죠.

그대 떠나며 구름을 드리우고
저의 봄은 다시 봄이 아니게 되겠죠.

그러니 부디,
꽃이 핀 이곳에서,
나 그대 생각하며 환히 웃을 테니,
그대 떠나지 말아줘요.

떠난 그대가 돌아와 쉴 집이,
지친 그대가 기대어 누울 벽이,
기꺼이 내가 되어 줄 테니,
그저 그렇게 그대 기다릴 테니.
.
.
수신, 그리고. 다시, 송신.

첫 장, 애증. 41

두

장

,

추

락

파랗다
책꽂이에 꽂혀있는 책도
빛나는 헤드셋의 LED도

파랗다

내 방 구석의 쓰레기통도
밖에서 들어오는 달빛도

파랗다

내 입술도
내 심장도

내 눈에 비치는 모든 것이
그저

파랗다.

수염이 깎이지 않는다.
무딘 면도날 탓도 해보고,
심하게 굵은 내 수염 탓도 해보지만.

면도날이 무딘 게 아니야.
칼날이 무딘 게 아니야.

그냥,
내가 무딘 거야.

문뜩 올려다본 그 하늘은
너무도 아름다워
그 아래 서있는 내가
하찮게 느껴지는 게
너무도 슬퍼

하늘도, 바람도,
별도, 달도
모두 이렇게 아름다운데
내 작은 메아리 소리만
눈물진 채 이렇게

'싫어.'
갑작스레 떠오른 말이었다.
갑자기 찾아온 그
사고의 걸림돌에
나는 평소의 행실을 돌아봤고,
나는 나의 태도를 성찰했다.

여전히, 나는 부족했다.
앞에 설 수도 없었고,
가만히 있지도 못했다.

모든 걸 받아들이는 게 나을까,
아니면 최소한 맞서는 게 나을까.

선택의 기로에 놓인 채, 나는 그저,
다가오는 운명에 몸을
맡기기로 하였다.

'그 끝에 오는 건 나의 책임이겠지.'
하며, 든 생각이

나의 마지막 생각이자,
나의 마지막 말이었다.

매우 짧은 순간이었다.

양 머리를 찌르는 듯한 고통,

21세기 학생에게는 흔한 일이었다.

매일 같이 마주하는 새벽의 공기,

지저분한 책상, 딱딱한 의자,

그리고 그 방 속 나.

시계는 어느새 12시를 가리키고.

째깍, 슥. 째깍, 슥.

잠깐 다른 일을 하니,

시간은 다시 12시.

계속 오늘 하루, 이 시간에만 머물러

자유로이 지금을 만끽했으면 하거늘,

정작 마주하는 현실은

하루, 하루, 지나가는.

'싫어.'

갑작스레 떠오른 말이었다.

아니, 이번만은, 갑작스럽지 않았을 수 있다.

애초에 갑작스러울 수가 없었다.

일상인 것을, 다름없이 너무나도 일상임을,

애써 부정하려 해도, 하지 못할 뿐이었다.

그저, 나는 이 의자에 앉아, 다시.

그저, 이 펜을 잡고, 책상으로, 다시.

그저, 오늘의 새벽공기도, 다시.

그저, 다시.

떨어지는 낙엽.
떨어지는 마음.
떨어지는 자존감.
떨어지는 나.

높아가는 하늘.
높아가는 후회.
높아가는 우울감.
높아가는 너.

짙어가는 색채.
그러나, 옅어가는 생각, 나의 기분.
이내 다시 짙어가는 모멸감.
사라지는—

가면은 온전했다.
감정을 가리기엔 충분했던,
사람을 대하기에 완벽했던,
어쩌면 나의 진짜 모습이었던,
생각할 정도로 너무나도 정교했던,

가면에 금이 갔다.
작은 틈 사이로, 물이 나온다.
한 방울, 두 방울, 세 방울.
물이 계속 나온다.
그 기세는 그 누가 와도
막을 수 없을 만큼.

가면이 갈라졌다.
물줄기는 더 이상 멈추지 않는다. 아니,
멈출 수 없다.
쏟아지는 물처럼, 감정은 좀처럼
진정이 되질 않고.
떨어지는 폭포처럼, 말은 좀처럼
멈추질 않는다.

물은 꽃을 피워내었다.
다만 그 꽃이 어두울 뿐.
그저 그 향기가 매캐할 뿐.

휘몰아치는 파도와
거세게 부는 바람.
그 앞에 서있는
가녀린 몸뚱아리.
파도는 몸을 적시고
바람은 몸을 날리며
인간은, 그렇게
자신의 나약함을 체감한다.
스쳐가는 사람들
거세게 몰아치는 말.
그 앞에 서있는
가녀린 몸뚱아리.
사람은 몸을 때리고
말들은 몸을 찌르며
인간은, 그렇게
자신의 무능함을 체감한다.
다가오는 우울과
느껴지는 나의 무능함.
인간은, 그렇게
자신의 죽음을 체감한다.

주변은 그저 시끄럽기만 하다.
일상 이야기, 연애 이야기, 음식 이야기,
다양하게 시끄러운 것들이
귀에 들어오는가 하지만, 이내 가로막힌다.
홀로 고독히 앉아있다.
천장을 바라보고, 곧 다시 바닥을 바라보고.
귓가에 들려오는 건 음악뿐.
마음은 계속해 무언가 허전함을 알리고 있다.
알 수 없는 나의 아픔, 고독감, 우울감.
마치 밖에서 비쳐오는
아파트의 희미한 불빛이,
나의 미래라고 말해주는 듯이,
암울하다.

가지고 있지만 가지지 못했고,
올라왔지만 떨어져있다.
기쁘지만, 매우 슬프다.
슬프고, 아주 슬프다.
들려오는 저 소리, 소리, 소리.
비쳐오는 저 불빛, 불빛, 불빛.
적셔오는 저 말, 행동, 마음, 그 모든 것.
그 속에서
나만
혼자이다.

침대 위.
몸은 좀처럼 일으켜지지 않고
물에 젖은 것 마냥
굉장히 무겁다.

눈앞이 흐려지고,
얼굴은 붉어지고,
몸은 뜨거워지고,
나는 홀로 천장만 바라보고,
생각 없이, 그저 생각도 없이,
하염없이 아파만 하고 있다.

누군가 봐주기를,
누군가 달려와 내 이마를 짚어주기를,
누군가 나를 돌봐주기를, 바라며,
계속해 바라보는 저 문.

야속하게도 저 문은
나와 밖을 구분 짓는 벽과 같아.
들어오는 이 없이,
하염없이 혼자서
아파하고.

두 장, 추락. 53

수없이 죽여 왔다.

스스로의 자신감을,
나아가선 자존감을,
더 나아가선 행복을,
자신의 인격을,
나의 생활을, 관계를, 성적을.
주변 이들의 기분과
내가 있는 이 뗏목 위 분위기마저.

나는 그저 암초와 같아
없었더라면 잘 갔을 이 뗏목에,
부딪혀 이들을 아프게 하고,
이 배 사이에 끼어, 이들을 얽매이게 하고.

암초와 같은 삶은,
나를 다시 죽였다.
암초를 부수어야 했다.
위로 올라가 암초를 떨어뜨렸다.
붉은빛, 노란빛으로 물든 바닥, 그 위에
암초는 산산조각 나
그의 마지막 춤을 추었던가.

마지막 살인이었다.

모든 걸 내려놓고
아무 생각이 없었을 때

누군가 나에게 말을 걸었더라면,
누군가 나에게 괜찮냐고 물어봤더라면,
누군가 나에게 손을 내밀어줬더라면,

그렇게 되었더라면,
지금의 나는 행복했을까.

더 이상 올라갈 수 없는 나,
발목에 족쇄가 채워진 듯,
올라갈 수 있지만 올라가지 않는 것 같아.

그럼 밑으로 내려갈 수밖에, 하고
족쇄와 함께—

작지만,
나만의 개인적인,
그럼에도 늘 떠오르는,
오랜 생각이다.

겉으로만 살아있는,
그 속은 죽어있는.

허울뿐인 몸뚱아리에,
비어버린 내면인.

내리는 눈만큼 창백한 피부에,
얼음만큼 차가운 마음인.

지금의 나, 그리고
나의 영혼은 자살했다.

누군가는 질책할 것이다.
충분히 막을 수 있었더라고.
하지만 당시의 그를 본 이는
모두 알 것이다.
모든 걸 잃어버린
그의 태도, 말, 행동은
너무나도 확고했다고.
막을 수 있었다, 비난하기엔
이미 그의 결심은 너무도 단단하여
운명이었음이라고, 말할 수밖에 없었다고.

그리고 운명같이,
그의 죽음이 일어났다.

누구의 탓도 할 수 없다,
어떤 말도 소용없었을 테니.

그저 그의 의지가,
하늘로 향했을 뿐이니.

어찌할 수 없었다는 말이,
처음으로 이해되는 순간이었다.

하루는 그저 누워있었다.
천장에 진 얼룩, 그 아래 먼지,
그 아래엔 햇빛, 그 아래에 이불,
제일 아래 깔려있는 나

내 위엔 뭐가 참 많아서,
올라가고프지만 그러질 못해
그래서 내가 여기 누워있는 걸까.

나는 왜 누워있을까,
일어서기엔 너무 부족한 존재일까,
너무 부족하여 앉아있지도 못하고,
왜 누워만 있을까.

그 생각의 흐름은
계속해서 흘러만 간다.
단어를 타고, 말을 타고, 내 머릿속에서
끊임없이, 강처럼, 냇물처럼,
공기처럼, 바람처럼,
흘러만 간다.

생각이 끝에 다다른 때,
이미 새벽 5시.

이룬 것도 없지만, 이룬 듯 말하고 있다.
한 것도 없지만, 많은 걸 한 듯 말하고 있다.
아무것도 하지 않았으면서,
그에 대해 후회만 하고 있다.
'대체 왜 그랬을까.'

배우려 하지 않았지만, 배운 듯 말하고 있다.
즐겁지 않았지만, 즐거운 듯 말하고 있다.
결국에 상처를 받는 건 스스로면서,
아무 일도 아닌 척 말하고 있다.
'괜찮을 거라 믿어.'

원망스럽다.
이뤄낸 것 하나 없이, 노력한 것 하나 없이,
모든 걸 얻고 싶어 하는 내가.

실망스럽다.
기쁜 척, 슬픈 척, 가식적이기만 하고,
지금 이걸 쓰면서도
스스로를 속이는 내가.

침대에 누워 생각하곤 한다.
이내 현실에 고통스러워하고
눈을 감곤 한다.

하늘에 대고 맹세할 수 있을까
늘 그대를 진심으로 대해왔다고
가식과 거짓, 하나 없이
진정으로 그댈 위해왔다고

하늘에 대고 맹세할 수 있을까
끊임없이 노력해왔다고
오늘도 음식을 나르는 저 개미처럼,
적어도 남들처럼 부지런해왔다고

하늘에 대고 맹세할 수 있을까
내가 가진 능력이 모두 진짜라고
남들보다 못하거나, 평범하지 않은
나만의 특별한, 개성 있는 것이라고

하늘에 대고 인정할 수 있을까
그러지 못했고, 그럴 수 없음을
모두 이 작은 나의 잘못임을

하루에도 내 머리는 수십 번 싸운다.

오늘 하루 나의 후회를 두고
내가 저지른 나의 잘못을 두고

허둥지둥 넘겨버린 그때의 상황과
매사 가볍게 여기는 나의 태도를 두고

상대의 마음을 해치는 말,
그리고 경솔해 찌푸리게 하는 행동을 두고

그들의 싸움은 곧 격렬해지고
이내 무기를 꺼내드니

나의 머리를 사정없이 찌르기 시작한다.
헤집고, 찢고, 다시 찌르고,
머리를 부여잡아도 소용없다.

이내 들려오는 둔탁한 소리.
내일도 내 머리는 수십 번 싸울 것이다.

세월은 돌이킬 수 없다.
지나갔기에, 돌아갈 수 없기에,
과거는 과거대로, 그저 그대로
남아있다. 불변한 채로.

돌이킬 수 없는 건 많다.
성적, 생명, 시간, 인생.
그것들이 내가 품어야 할,
풀어나가야 할 필연적인 문제인 게
문제 일뿐.

인간관계도 역시 마찬가지였다.
한 번 저지른 이상,
한 번 일어난 이상,
그 이전의 이상으로 돌아갈 수 없다.

그렇기에,
돌이킬 수 없기에,
내가 간절히 바라는 것이다.
돌이킬 수 없는 그 순간,
그 순간을 돌이킬 수 있기를.

하늘에 뜬 저 별이
오늘따라 유독 반짝여 보이는 건
오늘의 내 모습이 어두웠기 때문일까

거리에 서있는 저 가로등이
오늘따라 나를 비추는 듯 보이는 건
오늘의 내가 소외되어 혼자였기 때문일까

가게에 빛나는 간판 조명이
오늘따라 아름답게 빛나 보이는 건
오늘의 내가 아름답지 못했기 때문일까

방 한 켠에 웅크린 내 모습이
오늘따라 더 어두워 보이는 건
나를 둘러싼 주변이 너무 밝기 때문일까

정신없이 흘러가는 이 세상이
오늘따라 더 멋져 보이는 건
오늘을 살아가는 내가
지친 나머지 쓰러져 잠들어
꿈을 꾸고 있기 때문일까

함께 있을 때
우린 무엇도 두렵지 않았다.
함께 있을 때
우린 뭐든지 할 수 있었다.
하지만, 지금의 우린
'함께'라는 말이
더 이상 어울리지 않는다.

작은 생명이 온다.
아니, 생명이라 그것을 칭할 수 있을까.
살인마.
살인마라 그 먼지를 칭하자.

그 살인마는 내게 칼을 건네었고
나는 독방에 갇히고
저기 열심히 가는 개똥벌레보다
더 외로이 살아간다.

함께 있을 때,
우린 무엇도 두렵지 않았다.
그런데,
이제 난
함께 있을 때
모든 걸 두려워하게 되었다.

손에 잡힌 걸 잡을 수 없는
눈앞에 놓인 걸 볼 수 없는
새로움 속에서 새로움을 찾을 수 없는

무능의 극치.
고요함에서 찾아오는 소란스런 생각에
언제나 눈앞에 다가오는.

목전에 서선
나를 바라본다.
빤히 바라보고
언제나 마음속에 다가오는
무력감의 극치.

손도, 눈도, 머리도
찾고자 하는 건 찾지 못하고
그저 그들의 집에서 헤매이는

물리쳐야 할 것을 물리치지 못하고
지켜야 할 것을 지키지 못하는,
자기혐오의 극치.

이 넓은 도로 위에
나 홀로 서있어

텅 빈 도로 위를
나 홀로 서성여

이 도로 위
끝이 보이지 않는

이 도로 위
하염없이 헤매이고 있어

들여다본다

보이는 것은 외면뿐.
아름답게 치장된,
가식으로 가득 찬,
허세만 있는
그런 모습뿐만이.

그 뒤로 보이는 것은
나의 내면,
수많은 인생을 거쳐온,
수많은 상처를 받아온,
그림자만 있는,
그런 모습뿐만이.

그 원인은 알 수 없는,

무언가를 좇는,

무언가를 바라는,

하지만 그 무언가를 모르는,

끝없는 갈망.

나아가는 이유는
망각한 지 오래.

처음에 의욕 가득히 출발했을지라도
며칠 뒤 손에 남은 건
목적 없는 목적의식뿐.

빛을 찾아, 진리를 찾아,
길을 떠났을지라도
결국 따르는 건 나를 따르는 몸뿐.

손에도, 의식에도,
남은 건 의미 없는 의미뿐.

그저 공허함만이 가득한
삶을 살아갈 뿐.

매년 찾아오는 연말에는
기분이 울적해지곤 한다.

항상 세우는 신년계획
하지만 그 체크리스트에는
이룬 것 하나 없는
나의 모습만 남아있다.

오히려 나의 경솔한 태도로
부주의한 나의 언행으로
얻은 것보단 잃은 게 많은
그런 한 해만이 내게 남아있다.

올해는 부디
그런 공허한 한 해가,
실만 가득하나 한 해가,
아니어야 할 텐데.

하는 생각에
끝없이 울적해지곤 한다.

모든 걸 바쳤을 터이다
인도하기 위해 길을 열어주었노라
보호하기 위해 적을 막아주었노라
구원하기 위해 그를 믿어주었노라

하지만
어째서일까
내 모든 희생과, 헌신과, 인내와
그리고 내 모든 신뢰가
그 창끝에 찔린 것은
그 칼날에 갈기갈기 찢긴 것은

그 신성한 손가락에
꽂혀 숨을 잃어가는 것은

내게는 한없이
따뜻했던 그 온기를
계속, 그저 계속
내 품 안에
지니고 싶었을 뿐인데

어찌 내 주변은
한없이 차가워
내 몸을 찔러대는지

지금의 나는
오지 않은 미래를 걱정하는 것일까

아니면
오지 않을 미래를 걱정하는 것일까

늘 그렇듯
생각은 피어올라
주변에 꽃가루를 퍼뜨린다

그 꽃가루는 다시 생각의 꽃이 되어
다시 꽃가루를 퍼뜨리고

피어난 꽃들은
뿌리로 서로 연결되어
거대한 사슬을 만든다

그 사슬 속에 갇힌 인간은
나가려 해보아도 오히려 엉키고
자르려 해보아도 오히려 부러지고
이내 그 사슬 안에
스스로를 가둔다

그 감옥은
인간의 밤을 삼켰다

소리를 삼켜버린 밤.

무엇도 들리지 않고
오직 내 숨소리, 심장소리만 들리는

어두운 적막

시계는 새벽 1시 21분.
하지만 정신만은 13시 21분.
잠들어 있지 않은,

밝게 수면.
어둡게 기상.

바뀌어버린 삶의 시계.
바꾸어버린 삶의 시계.

언제 이렇게 망가졌을까.
언제 이렇게 고쳐졌을까.

공허한 울림
텅 빈 머릿속과
고갈되어 버린 감정
그와 함께 회색 심장과
무거운 듯 가벼운 발걸음.

공허한 울림은 대지를 울리고
공허한 진동은 하늘을 무너뜨린다.

무너진 하늘의 파편은
푸르던 그것이 회색으로

돌이킬 수 없는
비가역적 반응이 다시

일어나고, 일어난다.
최근의 공허함 속에서

공허함의 끝은
언제 돌아오는가

끝없는 불안
잘못 내딛은 생각의 발끝이
작아 보이던 그 구멍 속으로
빠진 순간

심연은 나를 삼켰다.

불안을 뱉어보려 했다.
그 방법으로 선택한 것이
자신을 내보이는 것
밝아가는 저 창문 속 자신
그럴수록 짙어지는 창문 뒤 나 자신

구멍은 깊어져만 간다
나는 빠져나올 기회를 볼 수 없다

그저
이 아래에

어두운 하늘과
잿빛 길
검은 잎만이
바스락, 맴도는

공허.
사고 없이 그저,
앞으로만.
다다른 길 끝에
갈래가 있다.
좌, 우, 그리고 전, 후.

갈래엔 나무가 서있다.
앙상한 가지, 마른 잎.
하지만 굳건한 그 몸통.

멍하니 나무를 바라본다.
그리고 눈을 감아 떠올린다.

나무는 무엇인가?

육체는 약하다
빨갛게 된 눈은
푸른 눈물을 멈출 의지가 없고
목에 긴 녹색 이물질은
방에만 틀어박혀
나오려 하지 않아

도와줘, 외쳐보지만
그 하얀 목소리마저도
검은 나의 몸이
나를 내보내려 하지 않아

허무해, 이 육신은
건들면 사라질 나약한 것.
잠시 정신을 놓아보아도,
그리고 힘없이 무너지는
작고 미약한,
볼품없는
인간의 육신.

앞에는 수 백 개의 길이 있다네,
그저 놓여만 있다네,
하지만 갈 수 있는 길은 하나도 없다네,
선택할 수 없다네.

아무도 인지하고,
아무도 부르고,
아무도 찾지 않는다네,
나라는 존재를.

예상하건대 이 세상은
한때 나라고 불렸던 존재가,
모두의 기억 속에 남고팠던,
나라는 존재가
더 이상 없더라도
정말 잘 돌아갈 것만 같아

사랑받고 싶었고,
좋아하고 싶었고,
살고 싶었던,

그는 더 이상 이곳에 존재하지 않아,
살고 싶어 하지 않아,
더 이상.

I got hundreds of roads
In front of me
But there's nothing that I can choose

Nobody notices,
Nobody calls,
Nobody finds,
me.

Guess this world will go on
Pretty well
Though there's no one
That was once called 'me',
who really wanted to exist
in everyone's heart

Wanted to be loved,
Wanted to be liked,
Wanted to be lived,

He's no longer here,
Not wanting to be existed.

달은 뜨고
별은 쏟아지지만
도저히 찾아오지 않는 도착점.
머릿속은 가득 채워져만 가고
이내 번뇌로 혼잡해지는데
아무 말 없는 저 달은
희고 희기만 하다.

아침은 밝아오는데
태양은 점점 더 떠오르는데
머릿속을 가득 메운 별은
그칠 생각을 하지 않고
어둠은 점점 사라져만 가는데
나는 왜 이리 어둡기만 한지

다시 찾아온 아침은
나를 바라본다.
다시 찾아온 아침을
나는 바라본다.

하나가 될 수 없는 현실에
주저앉아 고민만 하는,

그 끝에서 말해
나는 도대체 누구야
나라는 건 뭘까

답을 구하고 싶지만
바보 같은 나는
그 단서조차도 찾지 못할까

주변 사람들은
나에게서 답을 찾으라 하는데,
그걸 아는 나는
왜 나에게서 아무것도 찾지 못할까

나를 찾기 위해
나의 처음으로 돌아갔지만,
거슬러 올라가 다시 찾아온
나의 끝으로도 갔지만,

그 끝에서 다시 말해
나는 도대체 누구야
나라는 건 뭐야

누군가의 죽음이라는 것이
불러오는 파장은,
돌이킬 수 없는 것.

막아놓았던 둑이 터지듯이,
쉴 새 없이 몰아치는 허무감의 폭풍이란,
모래주머니 몇 개만으로 막을 수 없는 것.

눈이 향하는 모든 것에
그 흔적이 남아있는 건
대체 무슨 기분일까.

손을 내밀면 닿을 수 있는 거리에
그 손을 내밀지 못하는 건,
바라만 보는 건 대체 무슨 기분일까.

알 수 없는 기분이 몰아치는 건,
이상하게 시리 기력이 빠지는 건,
그러면서도 몸이 움직이는 것은

생존본능, 아드레날린, 미약한 의지와
이 모든 걸 아우르는
헛된 허망이겠지

조명이 나를 비춰
어두운 조명에 있는 나를

홀로 외로이
텅 빈 방 속에 나는

조명 하나, 달 하나,
조명 둘, 달 하나,

가 찾아오며
하나씩, 더

나의 모든 고통이
그 끝에서 기인하기를
간절히 바라보매
하염없이, 내미는 그 손

닿지 않을 그곳엔
조용하게, 힘차게 뛰는
검은 심장이
흰 피를 내뿜고 있다

호흡에 섞여 들어간 그 피는
내 숨을 거칠게 만들어
토해내려 해도 나오지 않는
악의 굴레, 헤어 나올 수 없어

결국 이 육신의 발길이 향하는 곳은
영원의 안식처.
그 위에 가만히 누워

굴레를 얽매는 실이
끊어지기만을
가만히 기다리는데

또렷한 눈과는 달리
몸은 축 늘어져있다.
나는 나에게 일어나야 한다 하지만
나는 나의 말을 듣지 않는다.

주어진 시간은 많지만
주어진 일이 없어
하염없이 자리에만 앉아
가만히 창밖을 바라본다.

그러다가 숨은 편안해진다
그러다가 눈은 감겨온다
그러다가 눈이 다시 또렷해진다
그러다가 몸이 늘어진다

자리에 앉은 사람들은
제각각의 인생을 생각하겠지
자리에 앉은 나는
아무것도 떠오르지 않는다

그저
누워있을 뿐.

붉은 기운을 내뿜으며
나의 피는 마지막 목소리를 낸다
그 기운이 지나간 곳에는
온몸에 드리우는 전율과
검게 식어버린
그 잔상뿐,

그 작은 존재는 왜
그의 존재를 알리기 위해 왜
그의 육신, 그의 영혼, 그의 숨결
모든 걸 바쳐
나에게 씻을 수 없는 혼적을 남기는가

그가 남은 곳에는
이제는 굳어버린 핏기와
이제는 따뜻해진 그의 몸만이
내게로, 더 깊이로

나의 존재라는 사실이
타인에게 누를 끼치질 않기를
내 모든 언행이 죄스럽기 시작한 건
최근의 일만은 아니다

백(白) 속의 흑(黑), 마치
종이 위의 먹과 같은 존재.
이상하면서도 두드러지는,
그러나 주변과 조화되기는커녕
어지럽히기만 하는,

나의 말은 누군가에게
날카로운 바늘이 되어 꽂히고
나의 행동은 누군가에게
보기 거북한 장면이 되어
망막에 투사되겠지

항상 나아져야해, 고쳐야해, 생각하지만서도,
정작 나아지는 것 없이
그 모든 노력이 재가 되어
주변을 더럽히는 걸 보았을 때,
나의 마음 역시 재와 같이, 무너져, 흩어져.

이상과 멀어진
현실과의 괴리에
홀로 떨어진 나는
그 심연, 그 바닥에
홀로 주저앉아있다.

삶이란 건, 결국 그런 것
나의 노력을 겸허히 받아들이는 것
그에 따른 결과가 어떠할지라도,
그저 당연하게도, 그걸 받아들이는 것

창밖에서 오는 그 가로등 빛은
나를 여러 조각으로 나누어
그 현실로부터 멀어지게 만들어
나를 고립시킨다

당연하다고, 믿어왔던 믿음이
그 한 번의 빛에
산산이 조각내어져
나도 그 한 조각이 되어
현실에 조각내어져

인간은,
광활한 대지 앞에,
손을 내밀 틈도 없이,
무릎을 꿇는다.

공들여 쌓은 탑이,
한순간에 무너지고,
되찾을 틈도 없이,
대지마저 주저앉는다.

무력함을,
가슴 깊이 느낀 자가,
다른 생각을 할 겨를 없이,
절망을 느끼는 심정을 아는가?

한 송이 꽃이,
드넓은 대지 위에,
저항할 틈도 없이,
시들어, 꺾여, 무릎을 꿇는다.

우리는 왜 올라가야 하는가
까마득히 높은 저 하늘을 바라보며
인간은 쌓아올린다,
땅의 위에 서기 위해,
하늘의 위에 서기 위해.
그러다 쌓은 것이 무너진다.
그러다 늪 속에 빠지기도 한다.
그 모든 장애물을 넘고 도달한
그 하늘의 위는
또 다른 바닥이었다.

우리가 향하던 그 하늘이
누군가가 그토록 벗어나고 싶었던
바닥에 지나지 않는다면,
우리는 왜 땅을 벗어나 올라야만 하는가?
다른 이들의 시선을 받지 못하고
다른 이들의 시선을 내려 받는다면
우리는 왜 땅을 벗어나 올라야만 하는가?
올라간 그 끝이 또 다른 바닥의 시작이라면,
올라간 그 끝에서
또 다른 노력을 해야 한다면,
이때껏 쏟아 부은 노력이
모두 헛된 것이라면,
우리는 왜 땅을 벗어나 올라야만 하는가?

풀잎에 맺힌 이슬 앞에
내가 한없이 탁한 것은
쉽사리 그 못에
내 몸을 담그지 못하는 까닭입니다.

날아가는 저 새 아래
내가 한없이 작아보이는 것은
쉽사리 그를 따라
내 울지 못하는 까닭입니다.

맑은 그 물가 위에
스스로를 직시하지 못하는 것은
어두운 나의 모습이 부끄러워
쪼그려 앉아 흐린 눈물을 흘리는 까닭입니다.

흐린 그 눈물이 모여
순백의 웅덩이를 만들어낸 것은
나의 모든 양심과 순수가
눈물과 함께 씻겨져 내려간 까닭입니다.

그 웅덩일 보지 못하고
눈을 감은 것은
순백이 사라진 흑백의 나를
마주하고 싶지 않아 하는 까닭입니다.

행복은 눈송이와 같아
잠깐 찾아온 그 차가움은
나를 깨우지만
순식간에 나의 열기에
사라져간

나와 함께, 죽음과 함께
남아줬으면하지만
그 부름을 듣지 못하고
순식간에 나의 소리에
사라져간

갈매기도 제 짝이 있다.
손에 든 먹이를 죽일 듯이,
주지 않으면 나를 죽일 듯이, 노려보지만
갈매기도 무리 지어 난다.

해변가를 거닐다
눈에 띈 그 조개도
갑자기 따가워진 발에
내려다보았던 그 게도

그 망둥어도, 그 낙지도
그 해초도, 그 뻘도
모두 제 짝이 있다.

그 안에,
그 무거운 안에,
그 무겁고도 검은 안에,

홀로 박혀있는
돌, 나 하나.

코르크로 막힌 나의 입,
나의 목, 나의 폐, 나의 숨결.
새어나올 틈도 없이
꽉 막혀 있는 그 틈으로

새어나온 나의 목소리.
그러나 그 맛은
전혀 존재하지 않는,
허상에 불과한 그 목소리.

코르크를 타고, 그 목소리가
더 멀리, 더욱 더 멀리, 나아가지만,
허울뿐인 그 목소리가
형태를 가질 리 없다.
허상뿐인 그 목소리가
존재를 할 리가 없다.

그 코르크가 있기에,
나는 목소리를 가질 수 없다.

심연 그 깊은 안에
버려져 홀로 남겨진
나의 목소리는
좋은 시절을 보내고 있을까

나오지 못할 그 안식처에
영원히 자리 잡아
닿을 수 없는 하늘만 바라보는
나의 목소리는
정녕 행복해할까

심연보다 더 어두운 하늘을
닿을 수 있어도 닿지 않을 그 하늘을
쳐다보지도 않고 누워있을
나는 정녕 행복하겠지

진정으로 말하고 싶어 하는
나의 목소리는 그렇지 않아도
나는 진정으로 말하고 싶지 않기에
정녕 행복하겠지,
아니 행복해야겠지.

어깨가 무너졌다.
먼지와 같이 으스러진 그 어깨는
유리 파편이 되었고
그 위에 있던 유리성은
다시, 모래가 되어
유리 파편과 같은 운명을 맞이했다.

신은 왜 나에게 어깨를 주었는가.
나의 태생에, 나의 본질에
피할 수 없는 짐을 지워두고는
그 짐을 무너뜨려
부수어뜨릴 작정이었다면
신은 왜 나에게 어깨를 주었는가.

아아, 잔인하고도 잔인한 하늘이여!
그는 나에게 모든 책임을 전가했고
그는 나에게서 모든 책임을 앗아갔다.

그럼에도
가장 가벼워야 할 이가
어째서 가장 무거워하는가?

딱딱해, 변하지 않아
나는 이렇게 배워왔을 뿐 인데
내 세계는 이게 전부인데
갑자기 이게 모두 잘못되었다고 하면
나는 이걸 어떻게 고치라는 거야

얽매여 있어, 벗어나지 못해.
나도 고치고 싶다, 싶지만
이미 과거의 내가 그려온 스케치가,
내가 한 붓칠이 너무도 많은 걸.
이걸 모두 지워내기엔,
시간도, 몸도, 나도 부족한 걸,

답답해, 주저앉아만 있어.
너의 말처럼 노력은 해봤지만,
이미 하나가 된 탓인지
깎아내기만 할 뿐 사라지진 않는 걸.
너에게 묻고 싶은,
그냥 이대로 있으면 안 되냐는 말은,
나오려 하지도 않는 걸.

그냥 움직이는 게 나을 것 같아.
멈춰 있어, 나아가지 않을 거야.

저 위에서 홀로 외치는 소년이여,
그대는 무슨 아픔에,
높은 곳에 올랐음에도
기뻐하지 못하고 울고 있는가.

저 위에서 홀로 흐느끼는 소년이여,
그대는 무슨 허전함에,
많은 것을 가졌음에도
만족하지 못하고 갈망하는가.

저 위에서 홀로 웅크린 소년이여,
그대는 무슨 괴로움에,
주변에 많은 이들이 있음에도
털어놓지 못하고 외로워하는가.

저 위에서 홀로 외칠, 흐느낄, 웅크릴 나여.
나는 무슨 아픔에, 허전함에, 괴로움에,
낮은 곳에서 아무것도 없이, 쓸쓸히
기뻐하지 못하는가, 만족하지 못하는가,
털어놓지 못하는가.

왜 그저 힘들어하는가.

그 아이는 약한 아이입니다
응어리진 그 마음을 풀지 못하고
혼자 썩히고 썩히는

그 아이는 약한 아이입니다
여전히 과거에 얽매여
새로운 것을 두려워하는

그 아이는 약한 아이입니다
높은 곳만을 바라보아
정작 자신이 선 높은 곳을 알지 못하는

그 아이는 약한 아이입니다
떨어지는 충격을 이기지 못하고
그저 한 줌의 재가 되어버리는

그 아이는 약한 아이입니다

'시간은 빈 창고,
그 창고를 채워나가는 것은
우리가 되니'

그저 지나가는 말에 지나지 않았다.
수업시간에 선생님께서 주신,
그저 교훈이었을 뿐인데

내가 한 노력은 모두 헛되었던 것인지
나의 시간은 사라져있고
창고는 여전히,
여전히...

비어 있는 그 창고 앞
쓰러지는 하나의 영혼

영혼은 몸부림치며, 몸부림치며, 몸부림치며,
고통스러워하다, 스러워하다, 하다...

영혼의 아름다운,
그 비극적인 춤사위는
결국 결말에 이르렀다.

문뜩 생각이 들어 자리에서 일어난 것은

10월 1일, 오전 6시 30분

돌은 그저 나를 눌러왔다

아니, 지금도 점점 쌓이고 있다.

다가갈수록, 날 더 억누른다.

다가갈수록, 날 더 무너뜨린다.

그냥 자유로워지고 싶었다, 아니

그래야 했다.

날고 싶다고, 저 새처럼.

푸른 하늘을 자유롭게 날고프다고.

그저 마음이 추구하는 곳으로,

나는 무작정 향했다.

동트는 붉은 햇빛,

서늘히 불어오는 아침바람.

날아가는 새와, 그 앞의 나.

하늘과 맞닿은 그곳은, 너무 아름다웠다.

하나가 되고 싶을 만큼.

몸이 추구하는 대로,

한 걸음, 두 걸음.

순간 느껴지는 후회에도,

세 걸음, 네 걸음.

그리고 이내 정신을 차렸을 때,

다섯 걸음,

툭.

너는 왜,
비를 맞고 있는지.

한창 빛나야 할 때의 네가,
왜 빗속에서 길을 잃어버린 건지.

일단 급히 챙겨둔 우산을 건네주지만,
어째선지 고장 난 우산은 펴지지 않았다.

아니, 우산을 폈었다. 폈지만,
우산은 너를 제대로 가려주지 못했다.

지금의 나는 가끔 네가 있던 자리로
너를 추억하기 위해 그 자리로, 가보곤 해.

우산을 건네어주지 못해서,
우산을 씌워주지 못해서,

나의 그 알량한 죄책감이 나를, 너를 괴롭혀
온전한 우산을 들고 네게 다가가보지만,

우산을 씌워주지만
너는 왜 아직 그 비를 맞고만 있는지.

내가 지금, 이 문을 나선다면
나를 배웅해줄 사람이 있을까.
한 사람이라도, 나를 배웅해줬으면
내가 돌아왔을 때, 환영해주겠다고
말해줬으면 좋을 텐데.
나서지 말아달라고, 내 손목을 붙잡아줬으면
여기 있는 것만으로도 괜찮다고, 말해줬으면
너무 큰 욕심이지만,
그렇지만서도 좋을 텐데

내가 문턱에 서있지만
나를 배웅해줄 사람도,
나를 잡아줄 사람도,
한 명 없다.

그저 바라만 보는 것이라도 좋으니,
와주었으면 좋겠는데.
마지막을 기억해주는 이 하나 없이,
이렇게 영영 돌아오지 않게 되는 건.
그렇게, 모두의 기억 속에
흐릿한 기억으로 남게 되는 건,
점점 사라지는 건.
어째서인지 조금 슬프네.

살아온 세월은 3년이 조금 넘었으려나.

그 세월동안 나는 매일 이곳에만 있었다.

물론 사소하게 몇몇이 변하기도 했지만,

존재가 사라지고, 새로이 존재를 만들었지만,

흰 벽, 연한 나뭇빛 바닥,

투명한 유리창과 그 밖의 아파트는

변함없이 그대로이긴 하지.

나는 이 풍경이 그렇게 금방

어색해질 줄은 몰랐다.

더 오랜 시간 지내왔는데,

잠깐 떠나있었다고,

이렇게 서먹해질 줄이야.

서운하다.

아무 느낌이 안 든다면, 그건 거짓이겠지.

네가 사람이었어도 그랬겠지만,

넌 나의 흔적이 고스란히 담긴 공간이기에,

과거와 현재를 모두 안은 그 책상이

온전히 남아있는 곳이기에.

공간이 내게 미치는 영향은 크나크다.

그건 공간도 마찬가지겠지.

하지만 변화는 필연적이겠지,

명제는 변치 않겠지.

슬프게도 말이야

창은 블라인드에 가려져있고,
문도 굳게 닫혀있다.
적막한 그 방 속에,
나는 적막한 노래만을 듣고 있을 뿐.

내면을 바라보는 건 좋다.
늘 자라나고 싶어 했고,
스스로를 직시하는 건 그 방법이니.
더할 나위 없이 좋으니.

그렇지만 이렇게 쉽게 바라보아지는 건,
그렇게 내가 노래를 쉽게 쓰는 건,
내가 옳은 게 맞는 걸까.

내가 내면을 바라보고 있다 생각하지만,
그저 침대에 누워 의미 없는 말만을,
쓸데없는 불만만을 토하고 있는 건 아닐까.
생각하지만

여전히 창은 블라인드에 가려져있고,
문도 굳게 닫혀있다.
어떠한 빛도, 소음도 들어오지 않는
적막한 방 속에
들려오는 건 적막한 노래와, 내 작은 기침만.

가끔 영감을 받기 위해
갤러리를 바라보곤 한다.,
떠오르는 시상을 찾기 위해
의미 없이 스크롤만 하곤 한다.

그렇게 내리다가 발견한
내 기억의 편린에,
그 기억이 촉매가 되어 일어난
나의 감정이
작은 편린을 더듬어 플래시백을 일으킬 때.

시상은 떠오른다.

나의 감정도 떠오른다.
꺼내지 못한 수많은 말을 안은 채,
그날의 기쁨을 안고,
그 이면의 후회도 안은 채.
그를 그리워는 하고 있지만
더 이상 되돌아갈 수 없다는 절망도 안은 채.

떠올라서 가라앉는다.

시는 쓰였다, 수면 위로 올랐다.
하지만 작가는 왜 이 아래에 있을까.

한 편 시를 써보려고 해도
떠오르지 않는 시상

가만히 앉아
아무것도 하지 않으며
나에게 주어진 운명, 숙명을
따르려 하지 않는다.

겨우 용기 내어 잡아본 펜 끝엔
검은 색채만이 가득한데
이상의 끝에 도달한 시는
하얀 색채를 내게 요구한다.

한 편 시를 써보려고 하여
떠올린 책상 앞의 그 시상.

나의 흑(黑)과 맞잡은 그 손에
나의 손에 건네어진 또 다른 흑(黑) 하나.

흑(黑)과 흑(黑)이 만나 이루어낸
운명 같은, 새로운 백(白)의 향연.

떠오르는 건 많은데,
정리되지 않는 건 왜일까.

이 넓은 페이지에 나는
공백을 남기고 싶었다.
텅 비어있지만, 꽉 찬 아름다움을 주는
그런 공백으로
나는 나의 인생을
아름답게 꾸미고 싶었다, 싶었는데.
꾸미고 보니, 저지르고 보니,
검은 그 종이가 어느새 흰색이 되어있어

간결해지고 싶어, 싶지만
나는 간결하지 못 한 걸.
좀 더 논리정연하게, 좀 더 고차원적으로,
좋은 어휘로, 좋은 논리로
너에게 남기고 싶지만
나는 그렇지 못 한 걸

오늘의 내가 할 수 있는 일은
달라지지 않을 거야.
그저, 이 검은 페이지를
의미 없는 흰색의 말들로 .
토해내는 수밖에.

두 장, 추락. 111

세
장

,

평
정

할머니께서 데려다주신
산 정상, 그 위의
작은, 쉼터

그곳에 비치는 별빛이
내 몸을 휘감아
그 별무리에
나도 같이 맴돌아

그 별 속에
내 몸을 던져보아
그 은하수 위를
하염없이 떠다니고 싶어라

사람으로 채워져야 할 곳에
공기만이 채워져 있다.

넓은 공간을 휘어잡는
그 공허함, 고요함,
밤의 어둠, 달의 빛, 귀뚜라미 소리,
그리고 내쉬는 나의 숨소리.

거지는 불빛과 함께
켜지는 나의 적막, 외로움,
감기는 나의 눈꺼풀.

눈을 떠보아도,

사람으로 채워져야 할 곳에
공기만이 채워져 있다.

귀를 기울이면,
지나가는 행인의 노랫소리,
하루를 끝내고 피곤해하는 학생의 한숨소리,
늦잠을 자버린 친구의 기지개소리.

귀를 기울이면,
빠르게 지나가는 오토바이 소리,
뭐가 급한지 클락션을 눌러대는 자동차 소리,
느긋느긋 지나가는 트랙터 소리.

귀를 기울이면,
계절의 끝과 함께 끝을 맞이하는 낙엽소리,
이파리 위에 몽글 맺히는 아침 이슬소리,
활짝 피어나는 저 향기로운 꽃의 소리.

귀를 기울이면,
나의 숨소리, 나의 손소리, 나의 귓소리만,
아무것도 들리지 않는 적막의 소리.
모든 것이 낯선, 열여섯 나의 소리.

가을 서늘한 바람
내 코끝을 건들고
바람은 몸을 타고
머리, 가슴, 다리, 발을 쓸더니
이내 나의 숨으로,
숨으로 들어온다

머릿속을 비워주는 맑은 소리
정신이 맑아지는 깨끗한 소리
마음이 깨끗해지는 좋은 소리
기분이 좋아지는 그런 소리

그런 소리,
바람이 그러한 소리

가을 소리
내 콧가에 들어와

가을 소리
내 온몸에 들어와

비에 낙엽이 젖었다.
젖은 낙엽이 바람을 탄다.
바람이 공기를 지나 내게 온다.

내게 온 바람, 그리고
바람이 부른 향기
흙냄새 섞였지만, 깨끗했던,
바람이었지만 조용했던,
그 향기

추억을 떠올리는,
감상에 잠기는,
책향기 솔솔 풍기는,
잡은 펜 끝에 시가 쓰이는,

오늘의 가을향기.

여러분의 오늘 가을향기는
어떤가요?

칼로 반죽을 잘라
국수를 만들고

칼로 조개를 내어
국수에 넣고

칼 같은 집중력으로
국수를 끓여

칼같이 내놓은
국수 한 그릇

칼칼하고 시원한 국물에
국수, 쫄깃한 국수

칼국수 한 그릇.

새로운 노래, 새로운 음식
새로운 옷, 새로운 말
새로이 새로워지는 새로운 세계

사람들은 그들을 따른다
그리고 새롭게 그들을 만든다
어느새 눈앞엔 다시
새로운 것들만 가득하다

바뀌고, 바뀌고, 바뀐다.
그렇게 그들은 새로워지고,
사람들은 다시 그들을 따른다.

그러나
혼자만 여기 서있는
흘러가는 사람들 속에 변하지 않는
어색한 분위기에 어색해져만 가는
따라가지 못하고
어느 곳에도 소속되지 못하는
나는 21세기의 외계인

문뜩 올려다본 하늘엔
새 한 마리가
그 작은 날개를 펼치고선
힘차게 날갯짓을 하고 있었다

알아주는 이 하나 없지만
혼자서, 그저 열심히
작은 움직임을 보이는 모습은
누구도 따라할 수 없는 아름다움이리라

나도 새가 되고 싶다
그 푸른 하늘 속에서
나만의 날개를 펼치고
그저 날고 싶다

창공을 가르는
나의 모습
자유로워라

찰나는 굉장했다.

찰나의 순간,
그 작은 영혼의 움직임은
작게나마 주변을 울렸고

찰나의 순간,
그 울림은 커지고 커져
바늘을 움직였고

찰나의 순간,
그 바늘은 마침내 돌아가
세상을 깨우고

찰나의 순간,
깨어난 세상은
새로운 아침에 인사를 한다.

찰나의 순간,
시계는 다시 돌아가기 시작했다.

첨탑은 여전히 솟아있다

거센 바람 그것을 때릴 때에도

뜨거운 태양 그를 녹일 때에도

차가운 비 그를 적실 때에도

수많은 사람 그 앞에 소리 칠 때에도

몰아치는 태풍 그걸 날리려 할 때에도

거대한 화마 그를 집어삼킬 때에도

첨탑은 여전히 솟아있다

산들거리는 바람에
일렁이는 소나무

주변이 너를 어루만져도
주변이 너를 흔들어도
주변이 너를 갉아먹어도
주변이 너를 상처 입혀도

오롯이, 그 자리에
우두커니 서있는
푸르고 푸른,
세상의 심장.

수없이 많은 세월을 인내해오며,
수없이 많은 풍파를 경험해오며,
수없이 많은 사람을 마주해보며,
수없이 많은 시간을,
소나무는 똑바로, 서있었다.

그 소나무에게 묻고 싶다.
너는 어떤 생각을 하는 중일까?

오, 황혼이여!
우리에게 봄을 가져다주오
그대의 빛이
영원토록 가시지 않을
너의 시대, 그 봄을
우리에게 가져다주오

너의 영광은
우리를 촉촉이 비추니
우리의 힘, 희망, 자신감이
어찌 솟아오르지 않으리

가끔 너의 부재로 찾아오는
희미한 어둠에도
우리는 너의 도착을 확신하며
황혼, 그 문만을 기다려왔으니

그 문을 열어
그대와 내가
황혼이 되어 만나는 순간
빛은 우리를 삼키리

오, 태양이여!
세상만물의 근원이신 태양이여!
그대는 온 세상 온 누리에
영롱하디 고귀한 그
흰 천을 내리운다

오, 태양이여!
모든 것에 군림하신 태양이여!
그대는 모든 것을 모두에게,
아름다운 그것을 내어주지만
어찌 그대가 있는 곳은
온 우주에서 가장 외로운 곳인가

오, 태양이여!
나의, 우리의 영혼이신 태양이여!
우리는 그대를 믿음이고
다른 모든 별도 그대를 우러러봄인데
우리의 목소리가 그대에게
도저히 닿지 못하는 것인가

외로우신 태양이여, 오! 그 태양이여!

잠을 자고 자고 다시 자도
눈을 감고 감고 다시 감아도
아침이 오지 않아,

태양은 이미 제 자리에 있고
달은 이미 제 자리는 내어주었는데
너는 네 자리에서 비켜줄 생각 않네,
하염없이 옆에서 기다리기만

이내 찾아올
나의 상쾌한 아침을 위해
나는 너를 밀어내지 못하고
잠들어 있을 수밖에 없겠지

사월의 태양아, 부디 돌아와다오
이 끝없는 잠의 소용돌이에서
부디 나를 꺼내어
유월의 아침을 맞게 해다오

세 장, 평정. 127

인간 저 너머의
작은 티끌

푸른 행성 그 너머의
거대한 티끌들 사이

티끌은 서있다,
저마다의 티끌을 만들어내며

인간 저 아래의
작은 티끌

작은 티끌 사이의
그 아래의 티끌

광활한 세계 속 거울을 보며
새롭게 맞이하는 스스로의 의미

티끌은 서있다.
그 너머, 그 아래에

창밖을 바라보매
햇살을 푸르게 비추던
그 잔디
푸르고 푸르디 푸르러라

그 잔디 너머에
햇살을 푸르게 받던
그 하늘,도
푸르고 푸르디 푸르러라

그 푸르고 푸르디 푸르른
그 푸른 색채는
하늘을 넘어, 그 잔디를 넘어,
창문 너머, 나에게로 닿는다.

더 깊이, 더 푸르게
색채는 나를 적신다.

푸르구나, 이 내 마음은.
정말로 푸르구나, 이 내는.

내 머리 위에
검고 푸른 하늘이 있고

그 검고 푸른 하늘은
이상하리만큼 둥근
흰 달을 안고 있고

그 흰 달은
유난히도 뾰족했던
그 날의 산꼭대기에 꽂혀있고

그 뾰족한 산꼭대기에는
누가 지은 지도 모르겠는
작은 오두막 하나 있고

그 작은 오두막 안에서
자신의 생명을 내보이는

작은 모닥불, 그 옆에
호롱불 한 마리.

조용한 적막 속의
기타 소리.

현을 긁는 그 쇳소리와
공명하는 내 숨소리.

한 음, 한 음에
스트로크, 스트로크에 담긴

작은 생명의 소리.
나와 조응하는 소리.

오늘의 기타 소리는
따뜻하기만 하다.

들리는 노래 소리의
음을 떠올려본다.
그대로 손을 조금 움직여
멜로디를 그려본다.

의자에 앉자, 앉아서
방 안의 피아노를 쳐보자.
베끼긴 했지만, 그 멜로디를 그려서
나만의 반주로 색칠해보자.

바닥에 앉자, 앉아서
기타를 꺼내들어보자.
베낀 것을 칠하기만 한, 그 영혼 없는 그림에
나만의 아르페지오를,
나만의 음색을 불어넣어보자.

베이스도 꺼내들자, 꺼내들어서
그 그림에 묵직함을 더해보자,
변치 않을 단단한 그 틀을 만들어보자.

그렇게 하나의 그림을 완성할거야.
여러 악기가 합쳐진,
나의 목소리가 약간 들어간,
그 밴드의 노래를 불러볼거야.

세 장, 평정. 133

네
장

,

점
층

별일 아니다

그저,
과거도, 현재도, 그리고
당장 내일도

끊어져버릴 것만 같았던
그 숨소리, 그 심장소리

여전히 들린다는 것이
놀라울 뿐이다.

타인의 말에 개의치 않고
꿋꿋하게 자신의 길을 나아가는
저 청년을 보라

사람들이 그에게 활을 쏘아대도
모래를 뿌려 시야를 막아대도
벽을 세워 길을 막아대도

한 치의 흔들림도 없이 서있는 그를 보라

목적지에 도달한 그에게,
사람들은 모두 박수를 보내리라

방금까지는 돌을 던졌지만,
박수를 치리라

비록 눈을 잃고,
온몸에 자상과 관통상이 넘치고,
무릎이 부러지고,
다시 일어설 수 없더라도,
그 박수면 그 청년은 만족하리라
(사람들은 그렇게 생각하리라)

기계 속, 또 다른 작은 장치.
그 장치 속, 또 다른 작은 부품.
그리고 다시, 부품 속의 작은 나.

늘 일부가 되어,
같은 일을 반복한다.
늘 일부가 되어,
같은 업무를 맡는다.

틈 사이로 보이는 저 바깥엔
수많은 기계들, 그리고
그 기계 틈 사이에 보이는
수많은 부품들, 그리고
그들을 움직이는
수많은 '나'들.

부품은 더 이상 싫다.
속해지고 싶지 않기에.
기계 역시 싫다.
속해지게 하고 싶지 않기에.

그저, 부품이 아닌
나로서의 삶을 살고 싶다.

별다른 이유는 없다

강이 강이기에 흐르듯이,
바람이 바람이기에 불듯이,
하늘이 하늘이기에 높듯이,

그저 그렇기에 그런 것이다

나도 나이기에 그런 것이다
나도 파랗기에 그저 파랗다

추앙 받는 것을 부정하지 마라
어둠 속의 빛은 밝게 느껴지는 법이니

원망 받는 것을 부정하지 마라
빛 속의 어둠은 어둡게 느껴지는 법이니

외로움을 부정하지 마라
어둠 속의 빛, 그 빛 속의 어둠은
더욱 더 어둡게 느껴지는 법이니

새어나온 빛은
온몸을 감싼다
방 안에 앉아
바라보는 작은 화면
세상 속 저 빛들은 밝게 빛나는데
나의 빛은 작기만 하다.

똑같은 책, 똑같은 장소
똑같은 사람, 똑같은 일상
나의 빛은 점점 흐려져만 가는데
새어나온 빛은 온 방을 채운다.

창문 밖으로 날아가던
작은 종이비행기에
반사되어 들어온 그 태양빛
바라보는 것은 같은 것에서
조금 더 큰 화면으로,
세상을 흐리던 나의 빛이
점점 더 밝아져오던
그 어느 날의 하늘, 그 창문,
그 종이비행기

온 방을 채운 빛이 온몸으로,
온몸을 감싼 빛이 나에게로.

어제의 해가 지고,
오늘의 해는 떴고,
곧 내일의 해가 뜨겠지.
그리고 나는 그 해를 기다려왔다.

어제의 해가 지는 걸 바라보며,
나는 오늘의 해가 뜨기를 기다려왔고,
오늘의 해가 지는 걸 바라보며,
나는 내일의 해가 뜨기를 기다리겠지.

내가 원하는 건 나를 비추는
내일의 햇빛이겠지.
하지만 내일의 햇빛도, 오늘의 햇빛도,
놓아버린 어제의 햇빛도.
그 다음 날의 햇빛을 위해 희생할 것이라면
이 기다림에는 무슨 의미가 있을까

오늘은 가만히 떠 있는
오늘의 태양을 바라본다.
더 나은 내일을 위해,
더 뜨겁게 타오를 내일의 태양을 위해,
오늘에 안주하자.
오늘의 태양을 보자.

앉아라,
이 세상의 모퉁이에 앉아라

가진 것 하나 없이,
처음 왔던 그 모습 그대로
오거라,
너의 고향으로

그 시절 우리는
세상의 중심을 욕심내었다.
손을 가득 채우고
입을 막았다.

지금의 우리는
스스로를 알고
이제는, 손과 입의 짐을
내려놓아야 할 때.

지금의 우리는,
때를 알고
물러나야 할 때.

눈에 보인 것은
나를 가로막은 높은
차가운 철근 덩어리였다.

그 덩어리 안으로
점점 더 안으로
발을 내딛는다.

처음 발을 내딛은 것은 계단.
아스팔트만이, 철골만이 오래 있던
철먼지, 녹먼지, 흙먼지 만이 가득한

아스팔트, 그 차가운 물질과
오르면 오를수록 사라지는 먼지와
적막한 그 공기 속을 지나

마침내, 마주하는

하늘.

그 따스하고도, 그 차갑던 나의 옥상.

항상 이때쯤이면
나의 머리를
온수에 담근 채,
째깍, 거리는 시계소리만을 듣고 있다.

나름 적막한 환경이다, 면서도
귀는 그렇지 않나보다.
나에게 계속 말을 걸며,
물 끓는 소리, 머리 찰랑이는 소리,
방울이 떨어지는 소리, 거칠어지는 숨소리,
내가 뛰는 소리,를 쉴 새 없이

틀림없이

이곳에 서있구나, 생각하지만
그러나 내가 이루어낸 건 하나 없지만

오늘의 귀가 내게
말을 걸어주는 건
늘 감사하고 있어.

생명이 잉태한 고통.
이내 나는 태어났고,
태어나 나는 부딪혀왔고,
부딪혀 나는 아파왔다.
아파온 상처를 바라보려 해도,
나의 눈을 가리는,
상처를 어루만지던 그 손은
조용히 입을, 숨을 틀어막았다.
힘들어, 나지막이 뱉어보지만
도저히 떨어지려 하지 않는 그 손.
고통이 잉태한 생명.
어루만져진 상처의 고통에,
도통 쉬어지지 않는 숨에,
흐려지는 의식, 그리고
띄어지는 눈.
고통의 눈은 나의 상처를 주시하였고,
그 상처는 눈과 함께
나의 손을 바라보아 주었다.
나는 그 손을 잡고,
그 손과 함께 상처를 만지며,
이 모든 것을 똑바로 두 눈에 담았습니다.
빨갛구나, 아직은. 뜨겁구나, 아직은, 이라며
오늘의 손에 온기가 아직 남아있음을 느끼며
나는 제게 감사해했습니다.

바라본 기차역의 풍경이
어째서인지 붉어 보이는지.
태양이 밝아온 지 얼마 안 된 아침에
바라본 기차 들어오는 풍경은,
왜인지 어제의 내가 타고 왔던
기차, 그 창문의 저녁 풍경 같은지.

출발이라는 건 새로운 도착이 아닐까.
도착하는 법을 배우는 것이,
출발의 진정한 목적이 아닐까.
나는 머물러있고 싶지 않은데,
그저 달리는 기차에 내 몸을 맡겨,
흘러가는 대로 생을 살고 싶은데,
도착하고 싶지 않은데, 왜 출발해야 할까,

하는 순간.
손을 잡아주었다.
눈을 바라보며, 내게 말을 걸어주었다.
목적을 주었고,
또 다시 찾아올 출발을 꿈꾸게 해주었다.

아, 도착이란 이런 거구나.
너희가 아니었다면 머무르지 못했을 거야,
늘 감사해.

아무 의미 없는 말의 연속체가
벌써 수많이 쌓였다.

얼마 안 되어 보이는 이 텍스트를
년수로 치환한다면,
나의 나이를 훌쩍 뛰어넘는다.

한 편 한 편이 모두 나의 인생이라면,
나는 얼마나 많은 삶을 살아온 것일까.
한 편 한 편이 모두 나의 감정이라면,
나는 얼마나 다양한 감정을 느껴온 것일까.

싫지만, 싫지는 않다.

텍스트가 나의 인생이 무개성하지 않다 했다.
연속체가 나의 감정이 단조롭지 않다 했다.

내가 저지른 모든 일들이,
내가 내뱉은 모든 말들이,
결국은 어떤 형태로든, 다시 내게 돌아온다.

무섭다, 무섭지만서도
어째서 나에겐 좋은 원동력인걸.

이것은
내일의 내가 떠나는 여정.

오늘 걷는 나는
과거의 나의 발자취를 보며,
내가 어디있는지를 찾는다.

내일의 나는,
오늘 내가 남긴 발자취를 보며,
내가 어디있는지를 알겠지.

분명, 아무 흔적 없이는
찾기 어려울거야.
지금의 내가 그런 걸.

그러니,
나를 위해 가는 길에
조약돌을 하나 놓아둔다.

과거의 내가 그랬듯이,
이 돌은 나를 찾아주겠지.

늘 내어주어
늘 보듬어주며
늘 베풀며
그렇게 살아왔다.
주변이 어째서인지
가득 찬 것 같지만
스스로는 어째서인지
텅 비어있는 것 같지만
나를 잃어버린 걸까, 하고
걸어보는 또 다른 길,
걸어온 길에서 한 발 짝,
옆에 있던 또 다른 '나'의 길.
강도 있고, 나무도 있고,
갈래도 있겠지.
하지만 이내 도달하고 말겠지.

그 길고 긴 여정
그 끝에서
나를 기다리고 있을 나는
처음의 나에게
어떤 표정을 지어주고 있을까

텅 빈 종이.
그 위에 하나, 둘 새겨지는
내 마음의 속마음.

그 오랜 세월
나의 희로애락을, 나의 풍파를
그대로 견뎌낸 너는
온전하게 남아있을까

한때는 검게 물들어, 찌그러져, 아파했던
한때는 밝게 빛나고, 부드러워, 행복했던

나의 마음, 나의 삶.

지금의 내게 묻고 싶다.
아니, 내 마음에게 묻고 싶다.

마음아 너는 어떻게 지내니,
어두운 그림자 속에 숨어, 두려워하고 있니,
밝은 빛을 좇아, 살아가보고자 하니.

파란 하늘 아래 너희는
누구보다 아름답다.

유난히 밝았던 그날의 해는
그가 볼 수 있는 모든 걸
하얗게 물들였다.

흰 빛은 스스로를 더욱 돋보이게 했다.
너희들은 그 빛을 받은 것이고,
그 모든 것들이 그 빛을 받았기에,
너희는 빛날 수 있었다.

꺼져가는 불빛이 나는 아쉬워,
나의 빛을 조금 나누어 줄게.
나에게 있다면 그 빛은 곧 꺼지겠지만,
너희에게 그 빛은 영원히 빛날 터이니.

부디 그 빛을 간직하고
가끔 그 빛을 바라봐줘

그 빛 속에서 너희는 영원히 빛날 것이고,
그렇게 빛나는 너희 덕분에
꺼져있는 나의 빛도
새로운 생명을, 밝게 비추어낼 테니.

달려온 거리는 짧았고,
달려갈 거리는 깁니다.
짧았지만,
그 길에는 나의 발자국이 빼곡하고,
길겠지만,
그 길에는 앞으로의 흔적이 가득할 테니,
두려워할, 후회할 필요는 없겠군요.

때때로, 되돌아보고플지도 모릅니다.
때때로, 주저앉고플지도 모릅니다.
하지만 이렇게 뒷걸음치려 한다면,
나의 길은 짧아져만 오겠죠.

그러니, 나는
처음 문을 열었을 때를 기억하려 합니다.
스스로를 스스로로 만들고,
앞을 내어다볼 눈을
현재를 바라보는 눈으로,
만들어보고자 합니다.
문을 열었으니,
그 문에서 눈을 열었으니,
내 문을 더 이상
열어놓을 필요는 없겠죠, 그러니
나 이제 문을 닫으려 합니다.

<하고픈 말>

나는 문학적으로 완벽한 작품을
쓰고 싶은 게 아니다.
내일의 나에게,
과거와 현재의 나의 흔적을 보여주어,
나를 기억하고, 진정한 나를 찾을 수 있도록
도움을 주고자 이 시를 쓰는 것이다.

시는, 또 다른 나의 목소리이다.
실처럼 엉킨 이 마음의 응어리를
풀어낼 실마리를 주는 것이
나에게 시이며,
그 실을 잘 풀어놓아
정리하게 도와주는 것도
나에게 시이다.

혹자는 이런 나를 이상하게 볼 지도 모른다.
혹자는 나를 새롭게 인식할 지도 모른다.
그러나 혹자의 판단은,
적어도 지금 이걸 쓰고 있는
지금의 나에겐 중요치 않다.

난 그저, 중학교 3학년, 그때부터 이어져온
나의 감정을 정리하기 위해
펜을 잡고, 키보드를 치는 것이며,
앞으로 찾아올 고등학교의 남은 절반을
본격적으로 나아가기 전, 잠시 멈추는
휴게소를 만들고 싶었기에
이 책을 쓰는 것이다.

나의 시, 나의 책이
이걸 보는 당신에게
어떤 영향을 미칠지는 모르겠다.
하지만 하나 원하는 것은 있다.
나의 인생을 일면을 본 당신이
비로소 스스로의 인생을 돌아보는 것.
그리고, 그것이 어떤 수단이 되었든 간에,
비로소 당신의 노래를 부르는 것.
그 노래를 당신에게, 혹은
당신이 소중히 여기는 이에게
들리게끔 하는 것.

그것이 지금의 나에게는
작은 소망의 전부이다.

이름이 없기에 아름답다.

정해지지 않았기에, 자유롭다.
예상할 수 없기에, 가치 있다.

그것이 무엇일지 우리는 알 수 없고
다만 생각하기만 할 뿐이다.

그 가치를 당신은 생각하고
그 가치는 당신을 생각한다.

그렇게 당신이 내놓은 답에,
그것은 당신에게 답한다.

무제.

그것은 제 5의 계절이다.

춘하추동의 사계에서 벗어난,
정해지지 않은 별개의 계절.

가치가 곧 나이고, 내가 곧 답이었기에
나를 표현하기에 가장 좋았던 그 계절.